LE CHANT
DE LA NAÏADE

Au-delà du monde de
SPIDERWICK

Tony DiTerlizzi et Holly Black

LE CHANT
DE LA NAÏADE

Traduit de l'anglais (États-Unis)
par Fabienne Berganz

EH Héritage
jeunesse

Catalogage avant publication de Bibliothèque et Archives nationales
du Québec et Bibliothèque et Archives Canada

DiTerlizzi, Tony

    Le chant de la naïade

    (Au-delà du monde de Spiderwick)
    Traduction de : The nixie's song.
    Pour les jeunes de 8 ans et plus.

    ISBN 978-2-7625-2891-6

    I. Black, Holly. II. Berganz, Fabienne. III. Titre.

PZ23.D57Ch 2008   j813'.6   C2008-942035-7

Titre original :
Beyond the Spiderwick Chronicles
Le chant de la naïade (The Nixie's Song), premier de trois livres.

Publié avec la permission de Simon & Schuster Books for Young Readers.
Édition originale réalisée en 2007 par Simon & Schuster Books for Young
Readers, propriété de Simon & Schuster Children's Publishing Division.

Conception : Tony DiTerlizzi et Lizzy Bromley

Dépôts légaux : 4e trimestre 2008
Bibliothèque nationale du Québec
Bibliothèque nationale du Canada

ISBN : 978-2-7625-2891-6

Les éditions Héritage inc.
300, rue Arran, Saint-Lambert (Québec) J4R 1K5
Téléphone : 514 875-0327 – Télécopieur : 450 672-5448
Courriel : information@editionsheritage.com

Pour Harry, mon grand-père,
un inlassable conteur.

Holly

Pour tous mes parents et amis de Floride :
quelques dessins de la maison de mon enfance...
Cadeau !

Tony

Sommaire

Illustrations

C'est l'histoire d'un pays de légendes,
De trois enfants, d'un vieux manoir,
D'un livre magique, un grimoire,
Et d'un homme arraché aux siens.

C'est l'histoire d'aventures étonnantes,
D'une contrée imprévisible,
De maints dangers! Tellement proches…
…si perfides et tous invisibles!

Les enfants? Leur bravoure ont prouvé.
Le livre? Perdu, puis retrouvé.
L'homme? Rentré, mais disparu,
Sans un cri, tout seul, vers les nues.

Le Mal? Vaincu et terrassé,
Comme dans un conte de fées…
Heureuse fin, me direz-vous?
Que nenni! Car Tony et Holly

Ont eu vent de cette histoire.
Ils l'ont chantée dans tous les bourgs,
L'ont colportée la nuit, le jour,
Du Groenland à l'Afrique noire.

Nos deux compères ont enfermé
Tous leurs secrets dans un ouvrage:
Un guide qui, page après page,
Nous dévoile un monde enchanté…

L'histoire a vieilli. Elle s'est enrichie.
A puisé sa force au sein des érables,
Dans le tronc des pins, le cœur des bouleaux,
L'âme des mangroves, marais ancestraux.

Si d'aventure vous pénétrez
Dans l'une de ces grandes forêts,
Regardez bien! Car notre Terre
Recèle plusieurs univers…

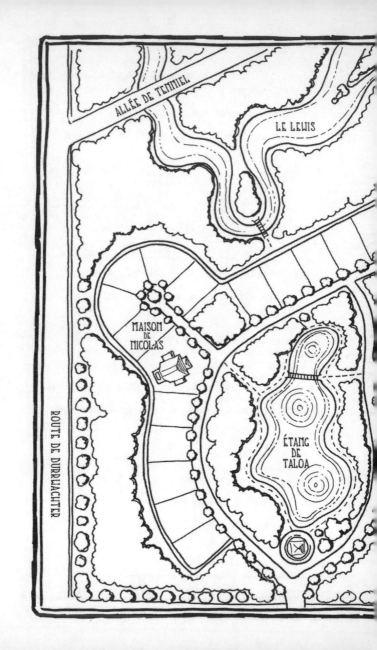

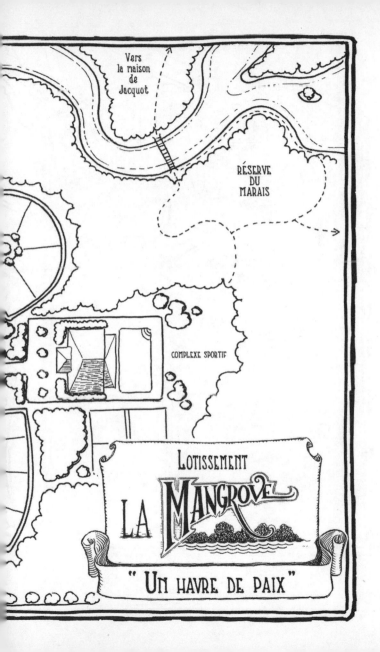

« À quoi tu penses? »

Chapitre premier

Où se produisent
bon nombre de changements

Quand sa mère mourut, Nicolas Vargas décida d'écouter tante Armena et de ne plus contrarier son père. Du coup, il devint un enfant docile et obéissant. Son frère, Julien, avait eu la même idée. Les deux garçons vivaient tranquillement, chacun dans son univers, jusqu'à ce que leur père décide de se remarier, six mois seulement après avoir rencontré une jeune femme dénommée Charlène.

Nicolas serrait les dents, tandis qu'il précédait sa nouvelle « sœur » dans l'escalier. Pourtant, la situation avait de quoi le faire hurler.

Un, il avait dû céder sa chambre ; deux, il partageait maintenant celle de son frère, qui ronflait

15

comme un grizzli; trois, Julien se levait à l'aube pour aller surfer et, du coup, le réveillait tous les matins.

Laurie-la-piqueuse-de-chambre avait presque le même âge que Nicolas: onze ans. Et c'était la reine des enquiquineuses.

Nicolas savait de quoi il parlait, car lui-même avait souvent été traité d'enquiquineur. Un peu rond, nul en sport, le contraire de son frère qui passait son temps à surfer, Nicolas savait que son point fort, c'était l'école: il y était brillant, studieux et obéissant. Pas de quoi se vanter auprès des autres, qui le traitaient souvent de lécheur, et, d'ailleurs, il s'en fichait. Mais il avait décidé que Laurie était vraiment la personne la plus nulle qu'il ait jamais rencontrée. Et le pire, c'est qu'elle semblait en être fière.

— À quoi tu penses ? lui demanda la jeune fille.

Vêtue d'une jupe bordée de grelots qui tintaient à chaque pas et qui agaçaient le garçon, elle tenait une caisse serrée contre sa poitrine.

Nicolas posa une des boîtes sur le lit. Elles étaient étiquetées: « Licornes », « Fées », « Livres sur les licornes et les fées »… Certaines boîtes avaient laissé s'échapper des paillettes mauves sur le tapis du couloir.

— Aux trucs que je déteste, répondit le garçon.
— Du genre ?

17

Quand Laurie remonta derrière son oreille une mèche de cheveux blonds, une douzaine de brace-lets cliquetèrent.

— Moi, je déteste mon prénom, annonça-t-elle sans lui laisser le temps de répondre. J'aurais aimé m'appeler Lauranathana.

— Idéal ! Surtout pour passer inaperçue, iro-nisa Nicolas.

— Je me fiche de ce que les gens pensent.

« Mon œil », se dit-il. Puis il se souvint de la requête de son père : « Soyez gentils avec Laurie. Au moins le jour du déménagement. »

Il soupira :

— Qu'est-ce que tu aimes, alors ?

Il regarda le chantier par la fenêtre. Avant, il aimait observer les ouvriers en train de couler du béton, scier des planches, monter des charpentes. Il aimait l'odeur de la sciure. Le lotissement conçu par son père prenait forme. Bientôt, la forêt maré-cageuse tout autour de la maison ne serait plus qu'un souvenir. Place à la civilisation : pavillons particuliers, parcours de golf, piscines, et de nom-breuses activités en perspective.

Mais les travaux avaient pris du retard. Papa se plaignait sans arrêt : la canicule n'en finissait pas ; les feux de broussailles se multipliaient ; on distribuait l'eau au compte-gouttes… Tout le monde était sur les nerfs. Le soleil avait cuit la pelouse du jardin. Derrière la maison, la piscine n'était toujours pas remplie. Et l'automne approchait à grands pas…

Laurie s'empara d'un épais volume parmi les livres fantastiques déjà entassés sur les étagères blanches. Sur la couverture, un titre était inscrit en lettres d'or, sous une sorte de koala au nez de cochon et aux oreilles de chauve-souris :

GRAND GUIDE DU MONDE MERVEILLEUX
QUI VOUS ENTOURE

— Qu'est-ce que c'est ? s'enquit Nicolas.

— Une encyclopédie des créatures fantastiques. Elles doivent pulluler, par ici : elles adorent la nature.

— Ne me dis pas que tu crois ces idioties ? persifla l'adolescent.

Il lui prit le livre des mains et le feuilleta. Aussitôt, il eut la chair de poule : les croquis et les

« Ne me dis pas que tu crois ces idioties ! »

gravures n'évoquaient en rien des fées amicales. Il jeta un œil à la dernière page.

— C'est n'importe quoi, ton bouquin, ricanat-il. « Dépôt légal : octobre 2006. Imprimé en Chine. »

— C'est une réédition, rétorqua Laurie en arrachant presque l'album des mains de Nicolas. Si tu ne me crois pas, tu n'as qu'à demander aux auteurs ! Ils...

La voix du père de Nicolas s'éleva de la cuisine :

— À taaable, les enfaaants !

Après la mort de leur mère, Nicolas et Julien avaient été nourris à la pizza rassise. Maintenant, il y avait des pâtes, du potage avec des vermicelles en forme de lettres – et même des croûtons – ou des spaghettis à la bolognaise, histoire d'impressionner Charlène et sa fille. Les écouteurs de sa console de jeux sur les oreilles, les cheveux raidis par le sel de la mer, Julien était déjà installé à l'îlot de granite. Ses pouces s'activaient à la vitesse grand V, et il ne leva pas les yeux quand Nicolas s'assit à côté de lui.

Son livre à la main, Laurie déclara à sa mère :

— Après avoir mangé, j'irai à la chasse aux créatures féeriques.

— Excellente idée ! Nicolas pourrait te faire découvrir les environs, suggéra Charlène avec un léger sourire.

L'intéressé se renfrogna. Sa belle-mère était bien gentille, mais il fallait qu'elle arrête de faire comme si Laurie et lui étaient les meilleurs amis du monde. Cohabiter, d'accord. Former une famille unie, pas question.

Laurie émietta une tranche de pain dans sa soupe. Maintenant, son potage ressemblait à l'infâme brouet de Gargamel. Apparemment, personne n'avait osé dire un jour à Laurie à quel point elle était nullissime.

— Je croyais qu'on ne trouvait des créatures féeriques qu'en Angleterre, observa le père de Nicolas, en enfonçant une serviette en papier dans son col de chemise. Ici, les insectes n'en feraient qu'une bouchée, à moins que les lézards s'en chargent.

Nicolas gloussa.

— Impossible, répondit Laurie. Mes créatures sont beaucoup plus grosses qu'eux.

Vexée, Laurie ? Nicolas décida d'enfoncer le clou :

— Il fait trop chaud pour chasser quoi que ce soit, de toute façon. Surtout des créatures qui n'existent pas…

Dans le granite poli de l'îlot, son visage reflétait un sourire. Son père, lui, fronça les sourcils, se gratta le nez et finit par dire :

— Accompagne-la. Elle pourrait se perdre.

Du bout de sa cuillère, Nicolas choisit les lettres qui flottaient dans le potage pour former le mot : « NULLES ». À lui seul, l'adjectif qualifiait ses vacances *et* sa demi-sœur. Le garçon termina son assiette. Il suivit Laurie dans la cour sans broncher. Lui aussi se sentait vraiment nul.

Elle s'enfonça dans l'eau jusqu'aux mollets.

Chapitre deuxième

Où Nicolas se laisse entraîner
dans une pénible promenade

L e goudron surchauffé collait aux semelles.
Avec son album sous le bras, Laurie ressemblait à Dora l'exploratrice. Elle tentait d'en-
trevoir l'intérieur des maisons en chantier,
fouillait du regard le moindre recoin à l'arrière
des bâtiments. Nicolas la suivait en traînant les
pieds. L'adolescente s'arrêta au bord de l'étang.

Deux petits coups de pied en l'air, et les sandales de plage de Laurie volèrent avant d'atterrir
sur la berge. La jeune fille noua sa jupe à mi-
cuisses et s'enfonça dans l'eau jusqu'aux mollets.

— Qu'est-ce que tu fais ? Je croyais qu'on
cherchait des créatures fantastiques, demanda
Nicolas.

25

Il jeta un regard vers la maison. De la cuisine, on avait une vue superbe sur l'étang. Mieux valait oublier l'idée de pousser sa demi-sœur dans l'eau. Laurie lui expliqua :

— C'est exactement ce que je suis en train de faire. J'essaye de repérer des empreintes de kelpies, ou les flûtes en roseaux que fabriquent les naïades.

— Des « kelpies » ? répéta le garçon.

— Des chevaux aquatiques, précisa Laurie.

Elle poursuivit d'une voix d'outre-tombe :

— Le kelpie noiiie puis dévooore quicooonque ose le chevaucheeer !

— Effrayant, grommela Nicolas en levant les yeux au ciel.

— Oui, mais le *Guide* explique comment domestiquer cet animal[1], enchaîna Laurie.

L'adolescent soupira. La chaleur était étouffante. Plonger dans les eaux saumâtres ne lui aurait pas fait peur. Mais son père lui avait interdit de se

1. Voir le *Grand Guide du monde merveilleux qui vous entoure*, p. 52 à 55.

baigner dans une eau non chlorée. De même, il passait son temps à mettre en garde Julien contre les dangers auxquels il s'exposait en faisant du surf.

— On a dragué l'étang, signala Nicolas. Tu n'y trouveras que des tortues.

Laurie sortit de l'eau, remit ses sandales de plage et décocha un coup de pied dans une carapace vide :

— À ton avis, où est passée son habitante ? Je suis sûre qu'un kelpie l'a mangée.

Elle se dirigea vers les arbres centenaires qui bordaient l'étang. Des palmiers qui ressemblaient à des soleils s'élevaient parmi les pins touffus.

— Tu dois venir souvent, ici, avec Julien, lui dit Laurie. Tu as de la chance d'avoir un grand frère.

— Oui, mentit Nicolas.

Inutile de s'étendre sur la nature de sa relation avec son aîné. Julien préférait de loin ses copains, sa petite amie, et sa voiture verte taguée *Surfin'USA*.

— J'ai toujours rêvé d'avoir un frère.

L'air était chaud, poisseux, épais.

À ce moment, Nicolas regretta de ne pas être dans sa chambre climatisée, confortablement installé devant un jeu vidéo… et se rappela brusquement que ce territoire ne lui appartenait plus.

— On n'a pas le droit d'aller dans la forêt, annonça-t-il.

— On n'ira pas loin.

L'adolescente ouvrit son livre.

— Préviens-moi si tu vois des empreintes bizarres, commanda-t-elle. Ou si tu as l'impression que les rochers t'observent, que les arbres t'observent – ou qu'on t'observe tout court. Et, *surtout*, si tu trouves un trèfle à quatre feuilles ou une pierre trouée par l'usure.

Une pierre trouée par l'usure ? Pourquoi pas un escargot à trois têtes ?

Laurie pénétra dans la palmeraie. Au loin, les échos de la civilisation lui rappelaient à quel point la forêt était un monde à part. Un orage approchait. Dans la pénombre, les feuillages avaient pris une étrange teinte argentée.

Nicolas hésita, puis emboîta le pas à sa demi-sœur.

Tout en écartant les broussailles qui s'accrochaient à son short, il lui demanda :

— Tu en as déjà vu ?

— Vu quoi ? répliqua Laurie.

Elle examinait l'écorce d'un palmier piqueté de trous. L'œuvre d'un pic-vert, sans doute.

Nicolas la rejoignit en petites foulées. Il n'avait fait que quelques mètres, et il était déjà à bout de souffle.

— De ces… créatures… décrites dans… ton livre.

La jeune fille fronça les sourcils. Des sangsues avaient laissé des traces sur ses mollets. Ça ne paraissait pas la perturber outre mesure. Elle pinça les lèvres :

— Difficile à dire. Tu vois cette colline, là-bas ?

Le garçon plissa les yeux. C'était la première fois qu'il observait le paysage au-delà du bois. Sur le flanc du coteau, de longues racines de figuiers banians formaient comme une barbe. Juste en dessous, un rocher à la forme étrange ressemblait à… oui… à un œil fermé. Nicolas frissonna. Ça devait arriver. Laurie l'avait contaminé. Ou bien il avait pris un coup de chaleur.

L'adolescent baissa la tête. Il se tenait au beau milieu d'un parterre de trèfles. Il jeta un coup d'œil à sa demi-sœur. Ni vu, ni connu, il s'accroupit et promena ses doigts parmi les herbes.

Soudain, il repéra un trèfle à quatre feuilles. Il le cueillit avec délicatesse, puis réfléchit : devait-il le donner à Laurie pour qu'elle accepte de rentrer, ou garder pour lui son porte-bonheur ? Nicolas fit rouler le trèfle entre son pouce et son index. Et il eut l'impression que les feuilles

devenaient plus... *vertes*. Comme s'il avait mis des lunettes colorées.

Il enfonça la main dans sa poche et en sortit un ticket de caisse délavé par un passage à la machine. Il enveloppa le trèfle dedans et le remit dans sa poche.

Il commençait à pleuvoir. De grosses gouttes chaudes s'écrasèrent sur la figure de Nicolas.

— Rentrons, marmonna le garçon, c'est un orage d'été.

Pour toute réponse, la jeune fille leva les paumes vers le ciel et se mit à tourner sur elle-même. En une minute, elle fut trempée. Ses cheveux collaient à son front.

— Regarde-moi ! claironna-t-elle. Je suis une sylvide !

Nicolas fit des yeux ronds : « Trop, c'est trop. Tant pis si Papa me passe un savon. »

Et tant pis si Laurie se perdait et se faisait dévorer par un alligator. Nicolas n'avait qu'une envie : rentrer et retrouver ses jeux vidéo.

Il fit demi-tour et partit en direction de la maison en contournant l'étang. Les gouttes de pluie tombaient sur l'asphalte en émettant des sifflements. L'averse s'arrêta dès que Nicolas eut atteint la pelouse jaunie du jardin. L'ondée ne donnerait même pas assez d'eau pour rafraîchir les

fleurs. Il regagna la chambre de Julien, se chan-
gea et inséra un disque dans la console de jeux.
Ça, c'était son univers à lui.

Un éclair déchira le ciel noir. Le tonnerre
gronda. Nicolas démarra son jeu et se concentra
sur sa mission. Soudain, après plusieurs parties,
l'écran s'éteignit.

Panne d'électricité. En bas, son père lança un
juron. L'adolescent grimpa sur un fauteuil et mit
son nez à la fenêtre. Il y eut un nouvel éclair
et Nicolas resta bouche bée : sur l'herbe, entre
l'étang et la mangrove[1], il distingua un corps
inanimé. Laurie !

Nicolas dévala les marches quatre à quatre et
se rua dehors. Les éclairs illuminaient la route
comme des réverbères. Il se mit à courir. En arri-
vant près du corps, il étouffa un hurlement.

Ce n'était pas Laurie, par terre, mais une créature à la peau verte, opalescente par endroits,
desséchée comme une feuille morte. Elle avait les

1. Forêt impénétrable dans certaines zones maréca-
geuses.

Il distingua un corps inanimé.

yeux clos, deux fentes à la place du nez, et un trait oblique en guise de bouche. Deux tentacules lui sortaient du front. Une chevelure constituée de filaments de branchies lui recouvrait le crâne.

Pas d'ailes scintillantes. Pas de paillettes mauves. Et pourtant, Nicolas en avait la certitude : c'était une créature fantastique.

Il poussa la brouette vers l'étang.

Chapitre troisième

Où Nicolas n'est pas au bout de ses surprises

— **P**sst ! Laurie !

L'adolescente qui avait enfilé des vêtements secs était couchée sur le ventre, sa clarinette à la main, une partition posée sur l'oreiller. Les pales du ventilateur tournoyaient paresseusement au-dessus du lit.

— Il… Il y a un monstre, dehors, bégaya Nicolas.

— Je ne te parle plus, lança Laurie, toutes griffes dehors. Tu m'as laissée seule en plein milieu des bois !

C'était bien le moment de faire sa pimbêche !

— Tu vas te taire et m'écouter, oui ?

Laurie se contenta d'écarquiller les yeux. Ses narines se dilatèrent, mais elle se tint coite. Nicolas désigna la fenêtre d'un doigt tremblant et martela :

— Il y a une créature dehors !

Laurie glissa ses pieds dans ses sandales de plage mauves, se leva en soupirant et colla le front à la vitre.

— Je ne vois rien, rétorqua-t-elle, les poings sur les hanches.

— C'est parce que tu es myope comme une taupe, affirma Nicolas. Viens.

Le garçon saisit la main de sa demi-sœur, qui le suivit dehors sans protester. Il s'arrêta devant la créature, toujours allongée dans l'herbe brune. Elle n'avait pas bougé. Elle devait être morte.

— Bon, ça suffit, s'énerva la jeune fille. Je remonte dans ma chambre.

Bouche bée, Nicolas regarda Laurie tourner les talons : il était le seul à voir cette créature verdâtre ! Il s'exclama :

— Je te jure que je ne te mens pas ! Il y a un monstre vert, qui ressemble à une grenouille avec des bras et des jambes !

Laurie fit lentement volte-face. Elle plongea ses yeux dans ceux de Nicolas et repoussa ses lunettes du bout de son index.

— Tu viens de me décrire une naïade, articula-t-elle. Tu possèdes la Vue ? Comment ? Es-tu le septième fils d'un septième fils ?

Nicolas fit « non » de la tête.

— Si tu étais roux, ça se verrait, continua Laurie. Est-ce que quelqu'un t'a craché dans l'œil ?

Nicolas bondit :

— Tu es répugnante !

L'adolescente plissa les yeux. Nicolas crut qu'elle allait le gifler. Il s'éclaircit la gorge et risqua :

— J'ai trouvé un trèfle à quatre feuilles.

— Tout s'explique ! s'étrangla Laurie. Cette plante rare confère la Vue ! (Elle ouvrit la main en tapotant du pied.) Donne.

Nicolas lui tendit le trèfle bien protégé par le ticket de caisse. Le souffle court, Laurie ouvrit le médaillon qui pendait à son cou. Deux photos se faisaient face. À droite, celle d'un barbu – sûrement le père de Laurie. À gauche, celle de Charlène. La jeune fille plaça le trèfle sur la photo de sa mère et referma le médaillon.

Le bijou serré dans son poing, Laurie poussa un cri de surprise. C'était elle, maintenant, qui possédait la Vue. D'un coup, la nuit parut plus sombre à Nicolas et l'image de la créature s'évanouit. Il poussa un soupir de soulagement.

L'adolescente se pencha en avant, les yeux brillants.

« Va chercher une brouette. »

— C'est bien une naïade, confirma-t-elle. Elle a dû quitter son étang et se perdre.

— On dirait une sorte de crapaud desséché, fit remarquer Nicolas. Elle est morte ?

Il vit Laurie caresser le vide, à quelques centimètres au-dessus de l'herbe. À nouveau, le tonnerre claqua mais le ciel resta sec.

— Non. Son cœur bat, constata la jeune fille.

— Bon, alors rentrons. Sinon, on va se faire disputer.

Quelqu'un de sain d'esprit aurait répondu : « Tu as raison, Nicolas », ou « Oui, car c'est bientôt l'heure de manger ». Pas Laurie. Elle ordonna :

— Va chercher une brouette. Il faut remettre la naïade à l'eau.

— Et… Et si elle nous mord ? s'inquiéta le garçon. Elle est peut-être enragée ?

— C'est une créature féerique, pas un chien errant, rétorqua l'adolescente. Fais ce que je te dis.

Et Nicolas obéit. Il se dirigea vers le chantier plongé dans l'obscurité. Le garçon n'en menait pas large. Il dénicha une brouette sur un tas de décombres.

Soudain, la porte de la maison s'ouvrit et le père de Nicolas apparut sur le seuil.

— Nicolas ! tonna-t-il. Pose ça tout de suite et viens manger !

L'adolescent rentra la tête dans les épaules. Il ne se faisait jamais gronder. Jamais. Depuis que Laurie était entrée dans sa vie, tout allait de travers.

— Cours prévenir ta sœur, exigea son père avant de disparaître dans la maison.

Lorsque la porte se referma, il inspira profondément et se mit à pousser la brouette aussi vite qu'il put.

— Laurie, dit-il dans un souffle lorsqu'il arriva près de sa demi-sœur, il faut rentrer, papa nous a appelés pour le souper.

— Aide-moi, répondit Laurie, s'il te plaît. Je n'ai pas la force de la porter. Elle va mourir, sinon.

Nicolas n'avait pas envie que quelqu'un meure. Pas même ce… monstre.

— D'ac, mais dépêchons-nous.

— Attrape-lui les jambes, murmura Laurie en soulevant ce qui devait être les épaules de la naïade.

Nicolas serra les dents et chercha le corps à tâtons. Ses doigts rencontrèrent une peau sèche. De nouveau, la créature apparut devant lui, bien visible. Il referma les mains autour des chevilles du monstre avec une grimace de dégoût. Un de ses pieds palmés lui effleura l'oreille. Le garçon lutta pour ne pas détaler ventre à terre.

La naïade était étonnamment légère, malgré sa taille – un mètre quarante environ. Les deux enfants la déposèrent dans la brouette. Dès que Nicolas lâcha la créature, elle redevint invisible à ses yeux.

À cet instant, Laurie et Nicolas entendirent la voix de Julien:

— Nico! Laurie! Rentrez! Papa vous cherche!

Nicolas se mordit la lèvre.

Il empoigna les bras de la brouette et la poussa vers l'étang.

Une fois au bord de l'eau, ils soulevèrent la créature et l'immergèrent. Le garçon observa les remous à la surface, tandis que la naïade s'enfonçait dans l'étang.

La naïade était étonnamment légère.

— Elle ne va pas se noyer ? s'enquit-il.

— Les naïades respirent sous l'eau, lui apprit Laurie.

Tout à coup, une gerbe d'eau les éclaboussa. Nicolas et Laurie reculèrent d'un bond.

— Ce… C'était quoi, ça ? bafouilla le garçon.

— On l'a sauvée ! s'exclama la jeune fille avec un grand sourire. La naïade est retournée dans les profondeurs du lac !

— Nicolas ! Je croyais t'avoir dit de poser cette brouette !

Aïe.

— Tu seras privé de télé et de jeux vidéo pendant une semaine, gronda son père. Et si je te revois sur ce chantier, tu n'auras plus le droit de sortir pour le restant de l'été !

Les joues en feu, Nicolas rejoignit la maison. Personne n'avait sermonné Laurie : ni son père, ni Charlène. Le dîner se déroula dans un silence pesant.

Par la fenêtre, Nicolas scrutait la surface de l'étang. Existait-il d'autres créatures ? L'épiaient-elles depuis les ombres ? Heureusement qu'il ne pouvait pas les voir. Si seulement il pouvait lui aussi être invisible pour elles !

Nicolas ne ferma pas l'œil de la nuit. Quand la pluie se mit enfin à tomber, il crut apercevoir les ventouses d'un amphibien adhérer à la vitre de la fenêtre. Le garçon se leva tard et passa la journée du lendemain à se demander s'il parviendrait à retrouver le sommeil.

En début d'après-midi, Laurie et sa mère partirent faire des courses. Nicolas en profita pour consulter le *Grand Guide du monde merveilleux qui vous entoure*. Il apprit une excellente nouvelle : les naïades ne mangeaient pas les humains. Et une moins bonne : bon nombre d'autres créatures, si.

Nicolas avait envie de piétiner le bazar de fille qui envahissait sa chambre. Il regagna l'antre de son frère en tremblant de rage. Julien, les écouteurs de son baladeur sur les oreilles, somnolait sur son lit. Coincé entre les chaussettes sales et les magazines de surf de son frère, Nicolas essaya de fixer une rame sur sa maquette, un superbe drakkar.

Toc ! Toc ! Toc !

Le garçon sursauta. La rame se brisa entre ses doigts. Le visage de Laurie apparut dans l'embrasure de la porte.

— Je viens de parler à Taloa. Elle m'a raconté que…

— Taloa ? l'interrompit l'adolescent.

— Oui, Taloa, répéta Laurie, exaspérée. La naïade.

Nicolas sentit son estomac se crisper.

— Les créatures sont en danger. Elles sont en train de fuir, confessa la jeune fille à voix basse.

— Ça m'est égal. Je me suis fait punir à cause d'elles… et de toi.

— Tu ne vas pas pleurnicher pour ça ! ironisa sa demi-sœur. Tu as vu une *vraie* créature féerique ! Ça vaut toutes les consoles de jeux, non ?

Nicolas la foudroya du regard. Comment Laurie pouvait-elle s'émouvoir pour un être aussi horrible ? Il lâcha d'un ton acerbe :

— Dégage. Tu viens de ruiner mon bateau. Ne me parle plus jamais de ces monstres. Et arrête de faire comme si on était frère et sœur.

Soudain, Laurie devint aussi pâle que la naïade. Elle sortit sans un mot.

Julien leva les yeux. Son baladeur était toujours branché. Pourtant… Nicolas aurait juré qu'il avait tout entendu.

Elle se mit à chanter...

Chapitre quatrième

Où Nicolas reçoit la Vue pour la seconde fois

C e soir, on mangeait chinois à La Mangrove. Nicolas attrapait ses nouilles une par une avec sa fourchette, lorsque Laurie se coinça une mèche de cheveux derrière l'oreille et dit :

— Maman ? Nicolas m'a promis de m'emmener à l'étang pour faire naviguer un de ses bateaux.

L'adolescent faillit s'étouffer.

— Je croyais que tes maquettes valaient une fortune, intervint Julien. (Il attrapa un rouleau printanier avec ses baguettes et croqua dedans.) Tu n'as pas peur que la peinture s'écaille ?

Nicolas foudroya du regard d'abord Julien, puis Laurie... qui parut s'en moquer éperdument.

— On pourra y aller, dis ? supplia-t-elle en gratifiant sa mère d'un sourire enjôleur.

Charlène interrogea des yeux le père de Nicolas.

— Oui, capitula celui-ci. À condition que vous promettiez de rentrer avant la nuit.

— Mais... protesta Nicolas.

— Il n'y a pas de « mais ». Chose promise, chose due.

L'adolescent posa sa fourchette. Il n'en croyait pas ses oreilles. Non seulement Laurie passait son temps à lui empoisonner l'existence, mais, en plus, c'était une sacrée menteuse !

Néanmoins, il devait bien l'admettre : cette fille avait un aplomb incroyable.

Le lendemain matin, Nicolas retrouva Laurie dans le jardin. Le garçon ne débordait pas d'enthousiasme.

— Pourquoi tu joues les pots de colle ? Tu n'as pas d'amis ? interrogea-t-il.

— Et toi ? rétorqua Laurie.

— Pff ! J'en ai des tas, si tu veux savoir ! lança l'adolescent.

Autrefois, Nicolas passait tous ses étés à s'amuser avec ses copains, mais c'était avant de déménager, avant que sa mère ne tombe malade, et avant qu'il ne cesse d'enquiquiner tout le monde.

Sur la berge de l'étang, Laurie retint sa respiration.

— Tu la vois ? susurra-t-elle.

Nicolas ne distinguait que les ondulations à la surface de l'eau. Il s'empara du médaillon que Laurie serrait dans sa main. La Vue lui revint brusquement. Il en eut le vertige. La naïade s'ébattait dans l'étang. D'abord, le garçon crut entendre le vent dans les arbres, le chant des oiseaux et le coassement des crapauds. Puis il tendit l'oreille. En fait, la naïade fredonnait une étrange mélodie. Et plus il l'écoutait, plus Nicolas avait envie de… de faire quelque chose. Il ne savait pas quoi.

En quelques brasses, la créature rejoignit le garçon.

Laurie sortit deux sandwiches et une bouteille de boisson gazeuse de son sac à dos.

– Tu as l'intention de pique-niquer ? demanda Nicolas.

Laurie haussa les épaules.

— C'est pour Taloa, se justifia-t-elle.

— Dans ton *Guide*, ils disent que les naïades sont herbivores[1], souligna Nicolas.

— Mes sandwiches sont cent pour cent végétariens, spécifia l'adolescente.

1. Voir le *Grand Guide du monde merveilleux qui vous entoure*, p. 63.

Taloa tourna la tête vers le garçon. Deux paupières translucides recouvrirent ses yeux, puis se rétractèrent. Elle se mit à chanter :

— *Tra-la-la, Nicolas ! Mon héros ! Tra-la-li ! Tu me sauvas la vie ! Tra-la-lère, mon corps était à terre et, ti-lou-li, tu fus blâmé, puni, oh ! tra-la-li, m'a confessé Laurie !*

— Xfrgtvz… fut tout ce que Nicolas parvint à articuler.

Il ne pouvait détacher son regard des paillettes dorées qui dansaient dans les yeux fixes de la créature.

— *Un jour, des humains m'ont baptisée Taloa, tra-la-la !*

— Euh… enchanté, bafouilla Nicolas, en se demandant qui étaient ces « humains ».

Taloa sourit, dévoilant ce qui ressemblait à une rangée de cure-dents miniatures.

— *Ainsi que ta sœur avant toi, tra-la-la, tu mérites rétribution.*

La naïade saisit Nicolas à la gorge et le poussa en arrière. Le garçon tomba dans l'étang ! Il avala de l'eau, recracha des bulles, agita les bras. Les yeux écarquillés, il vit le visage de Taloa penché au-dessus de lui. Ses poumons allaient éclater. La créature ne desserrait pas les doigts.

Mais soudain, elle le lâcha.

Nicolas émergea en toussant. Il essuya la vase qu'il avait dans les yeux.

— *Ha ! ha ! ha ! Tra-la-la !*

Il avait failli se noyer. Et Laurie n'avait pas levé le petit doigt. Elle le regardait, un sourire en coin, et tendait la main, paume vers le ciel. Elle paraissait aussi monstrueuse que la créature.

— Rends-moi mon médaillon, exigea-t-elle.

Nicolas resta un instant immobile, puis obtempéra.

Au moins, il ne contemplerait plus l'affreuse naïa... Il cligna des yeux. Une fois. Deux fois.

Taloa était toujours là, plus réelle que jamais. Une vague de panique submergea le garçon. Il refusait de comprendre.

— C'est… c'est l'eau du lac qui m'a donné la Vue ? chuchota-t-il.

— Oui. L'eau est imprégnée de magie car Taloa s'y est immergée, expliqua Laurie.

Ainsi, Nicolas était condamné pour le restant de ses jours à voir les créatures féeriques. *Toutes* les créatures.

Un bruissement. À côté d'eux, dans les fourrés. Nicolas se retourna et vit un être de la taille d'un gros chat, dressé sur ses pattes arrière, qui transportait un sac poubelle. Trois griffes acérées s'enfonçaient dans la terre. Il braquait sur le garçon des yeux couleur de sable.

— C'est quoi, ce truc ? souffla Nicolas.

Taloa tourna la tête. Trop tard. La créature avait disparu.

La naïade se rapprocha de la berge et chantonna :

— *Mes sœurs ont fui, ti-lou-li. Offrirez-vous votre bras, tra-la-la, à une créature des bois ?*

Il braquait sur lui des yeux couleur de sable.

Laurie s'avança vers Taloa. Sa jupe baignait dans l'eau.

— Tu veux dire qu'il y a d'autres naïades ?

— *Sept sœurs, nous étions. Moi seule demeure aujourd'hui, tra-la-li…*

Taloa contempla la forêt d'un air triste. L'espace d'un instant, elle ressembla à un être humain. Enfin… presque. Elle inventa un nouveau quatrain :

— *Les feuilles sont flétries, tra-la-li. Plus de pluie, plus de pluie, ti-lou-li. Je ne peux quitter l'eau, tra-li-lo. S'il vous plaît, aidez-moi, tra-la-la !*

— Pas question, asséna Nicolas.

— Mais Taloa t'a donné la Vue ! se rebiffa Laurie.

Comme si c'était une raison valable !

— Elle a failli me *noyer*, lui rappela le garçon.

— Elle ne voulait pas t'effrayer. Moi aussi, j'ai eu peur au début, mais ce n'était qu'un jeu.

La naïade pencha la tête sur le côté et roucoula :

— *Vastes sont les marais autour de notre étang. Je ne survivrai pas hors de l'eau fort longtemps. Je vous en suppliiie, tra-la-liii…*

Nicolas regarda le lac que son père avait fait creuser. Les marais de la région s'étendaient sur des kilomètres. Si elle partait, Taloa se dessécherait en un éclair. D'un autre côté, ce monstre avait essayé de le noyer. Il sentait encore ses doigts humides sur son cou. Il secoua la tête :

— Désolé.

La naïade rétrécit ses yeux de triton :

— *Si tu ne m'aides pas, tu le regretteras, tra-la-la…*

Nicolas lança à Laurie un regard horrifié :

— Elle me menace, maintenant ?

— Elle s'inquiète pour ses sœurs, c'est tout, contesta l'adolescente.

— Tu parles ! Relis ton *Guide*, ma petite ! Je te dis qu'elle est dangereuse ! C'est écrit noir sur beige : « Il arrive que les naïades attirent les humains dans leurs eaux[1] ! »

Et Nicolas se rua vers la maison.

Laurie posa son en-cas sur la berge et courut à la poursuite du garçon. Nicolas ne ralentit pas.

1. Voir le *Grand Guide du monde merveilleux qui vous entoure*, p. 63.

Quand il arriva dans l'allée, il remarqua deux choses, des dizaines d'empreintes recouvraient le sol – des empreintes à trois griffes –, et la belle voiture de son père, lavée le matin même, était remplie de sable.

Ils partirent peu après l'aube.

Chapitre cinquième

Où les choses se compliquent

Trois heures... c'est le temps qu'ils mirent à nettoyer les sièges en cuir de la voiture. Il avait fallu sortir le sable avec des seaux, passer l'aspirateur, balayer, repasser l'aspirateur... Et même après ça, quand on s'asseyait, ça crissait de partout.

— Mon père va nous trucider, gémit Nicolas en s'épongeant le front.

— Ça ne serait pas arrivé si tu avais accepté d'aider Taloa, grogna Laurie.

Le garçon céda, de mauvaise grâce :

— C'est bon, tu as gagné. (Il se tourna vers l'étang et cria) : TU ENTENDS ? JE VAIS T'AIDER ! (Puis, de nouveau à l'adresse de Laurie :) Mais c'est la dernière fois que j'entends parler de cette naïade de malheur ! Promets-le.

— Elle n'est pas…

— Promets ! trancha Nicolas. Cette naïade est un véritable cauchemar !

— Tu devrais dire la vérité à ton père pour la voiture, risqua l'adolescente.

— Parce que tu penses vraiment qu'il m'écouterait ?

— Ma mère m'écoute, elle.

— Oh, bien sûr ! C'est si mignon, une fifille qui croit aux fées !

Laurie se mordit la lèvre. Nicolas revint à la charge :

— Promets-moi qu'une fois qu'on aura retrouvé ses sœurs, tu laisseras ce monstre moisir dans son étang.

Laurie réfléchit avant de décider :

— Tu ne peux pas me demander ça.

— Je m'en doutais.

Un dernier coup de balai, et Nicolas alla tout ranger au garage. Dans la cuisine, il se passa la tête sous le robinet. Laurie et lui finirent la journée affalés sur le canapé.

Le père de Nicolas rentra du chantier en début de soirée. Il avait l'air furieux.

— Vous avez deux minutes pour m'expliquer pourquoi l'intérieur de ma voiture ressemble à une plage du Pacifique ! rugit-il.

Il eut droit en guise de réponse à un long silence gêné.

— Je ne te reconnais plus, Nicolas. Tu ne fais que des bêtises depuis quelques jours.

Charlène, qui venait d'arriver, fronça les sourcils :

— Depuis que Laurie et moi avons emménagé, c'est ça ?

— Ce n'est pas ce que j'ai dit, répliqua le père de Nicolas.

— Tu ne l'as pas dit mais tu l'as pensé !

Charlène tourna les talons et sortit de la pièce.

Nicolas alla se coucher, se sentant à la fois un peu coupable et ravi. Il tomba comme une masse.

Les deux adolescents partirent peu après l'aube. Il faisait frais. La brume ne s'était pas encore levée. Comme Laurie n'avait pas de vélo, Nicolas dut la porter sur son guidon.

— Tu connais le chemin des marais ? demanda Laurie.

Le garçon opina :

— Ce sentier y mène tout droit.

Quand Julien et lui étaient petits, ils s'y promenaient souvent, avec leur mère. L'endroit était une réserve protégée. Un jour, ils avaient suivi un tatou. Une autre fois, alors qu'ils étaient en voiture, ils avaient surpris un alligator à moitié enfoui dans une mare de boue.

C'était Maman qui avait choisi l'emplacement et le nom du lotissement : La Mangrove. Papa n'y faisait jamais allusion.

Les adolescents frôlèrent un cricket bruyant et paresseux. Ils passèrent devant le repaire de l'alligator et croisèrent un nuage de gros insectes.

L'un d'eux fonça sur Nicolas.

Soudain, l'un d'eux fonça sur Nicolas. Le garçon crut distinguer un visage humain sur le corps chitineux de la bestiole. Il tenta de le chasser avec de grands gestes. Le vélo zigzagua dangereusement.

— Fais attention ! s'exclama Laurie.

— Tu as vu ça ? s'étonna Nicolas en regardant par-dessus son épaule.

Mais, du passage de la créature, il ne restait plus que de l'air qui ondoyait. Laurie n'avait rien remarqué.

Tout à coup, Nicolas freina. Sa demi-sœur faillit tomber et laissa échapper un petit cri perçant, or le garçon l'ignora, médusé par le paysage de fin du monde qui s'offrait à ses yeux.

Au bout du chemin, l'étang marécageux avait disparu. À la place s'étendait une langue de terre craquelée. Nicolas appuya son vélo contre un arbre carbonisé. L'adolescent avait l'habitude de sentir le bois brûlé et de voir les troncs noircis depuis la route. Dans la mangrove, on brûlait parfois quelques arbres pour empêcher le feu de gagner les habitations en cas d'incendie.

Sauf que là, quelque chose clochait.

À la lisière de la zone calcinée, les branches ressemblaient à des bras charbonneux. Les feuilles, à des chiffons froissés. Les fougères, à des squelettes d'éventails fumants. Même la mousse avait brûlé. Et par-dessus tout, il régnait un silence anormal. On n'entendait pas un oiseau, pas une cigale.

L'incendie était parti des rives de l'étang et s'était propagé dans deux directions. Comme si quelqu'un avait tout incendié à coups de lance-flammes.

Nicolas grimpa au sommet d'un promontoire mou et sablonneux.

— Viens voir ça, Laurie ! appela-t-il.

Pas de réponse. Le garçon regarda en bas et avala sa salive.

Laurie, les larmes aux yeux, contemplait trois silhouettes couleur de cendre. Elles gisaient, les bras en croix, sur la terre asséchée. Leurs doigts palmés étaient devenus aussi transparents que du verre.

— Il vaudrait mieux ne rien dire à Taloa, suggéra le garçon d'une voix chevrotante.

Il dévala la colline pour rejoindre Laurie…

… et la colline s'ébranla.

Deux yeux noirs s'ouvrirent dans le sable. Le promontoire frémit et se mit à enfler. Un poing énorme se matérialisa, puis une jambe, puis deux. Les racines s'arrachèrent du sol. La terre s'ouvrit, et une créature monumentale, plus grande que la grue du chantier, en émergea.

— Aaaaaah !

Le cri de Laurie ramena Nicolas à la réalité. Il enfourcha son vélo et hurla :

— Monte !

La jeune fille bondit sur le porte-bagages. Sa jupe se prit dans les rayons. Nicolas appuyait de toutes ses forces sur les pédales. Le tissu se déchira avec un grand *crââc !* Laurie enfonça ses ongles dans les bourrelets de son demi-frère.

— Il-arrive-il-arrive-il-arriiiiive ! couina-t-elle.

Des branches se brisèrent. Quelque chose heurta le sol avec un bruit sourd. La terre trembla. Le vélo se renversa. Les enfants roulèrent dans la boue sèche. Nicolas vit trente-six chandelles. Il se releva, les genoux en sang. Laurie n'avait plus qu'une moitié de jupe, sa joue était maculée de glaise et sa lèvre, fendue. La chaîne de son médaillon s'était cassée.

Le géant se pencha vers eux. Lorsqu'il mugit, il postillonna du sable et des cailloux.

Nicolas était en train de relever son vélo lorsque le pied du géant s'abattit à un mètre de lui. La roue avant était un peu tordue. Tant pis ! Les adolescents remontèrent sur le vélo. Nicolas pédalait avec l'énergie du désespoir.

Il ne pensait qu'à une chose: pédaler, pédaler, pédaler.

« Julien aurait distancé ce monstre ! se dit-il en haletant. Moi, je suis trop lent, trop mou, trop gros. »

Ses muscles le brûlaient. La sueur lui dégoulinait sur le visage et lui picotait les yeux. Derrière lui, tout près, il entendait le bois se disloquer. Des nuages de poussière s'élevaient de tous côtés. Le garçon ne pensait qu'à une chose : pédaler, pédaler, pédaler.

À un carrefour, Nicolas braqua violemment à gauche... mais il fonça dans un talus. Les dents serrées, il s'agrippa au guidon et décolla les fesses de la selle. Le vélo s'envola, atterrit sans vaciller et continua sa course à travers bois.

— Où est-il ? demanda le garçon, qui n'en revenait pas de son exploit.

— Il nous cherche ! murmura Laurie. Arrête-toi et cachons-nous !

Nicolas écrasa les freins, et les adolescents sautèrent du vélo. La roue avant tournait encore quand ils disparurent à quatre pattes derrière un gros buisson de palmiers nains.

Le lotissement ne devait plus être loin. Nicolas risqua un œil à travers le rideau de feuilles : le géant farfouillait la terre du bout des doigts. Soudain, il attrapa un truc minuscule et l'avala tout cru.

— Qu'est-ce qu'il mange ? chuchota Nicolas. Un lézard ?

Mais les montures de lunettes de Laurie étaient cassées. Elle plissait les paupières, incapable de distinguer quoi que ce soit.

— Il y a quelque chose qui cloche... marmonna l'adolescente.

— Quoi ? Quoi ? Quoi ? s'affola le garçon.

Le géant ouvrit la bouche et expira comme s'il s'attendait à recracher quelque chose... mais rien ne se produisit. Il recommença, sans succès. La jeune fille pinça les lèvres, inspira par les narines et souffla :

— Je me souviens ! Dans le *Guide*[1], les géants cracheurs de feu mangent des salamandres !

1. Voir le *Grand Guide du monde merveilleux qui vous entoure*, p. 78-79.

Il attrapa un truc minuscule et l'avala tout rond.

Brusquement, Nicolas eut le vertige. Des naïades, des géants, des salamandres… Cela faisait trop d'un coup. Il voulut savoir :

— Pourquoi ne crache-t-il pas de feu, alors ?

Laurie reprit d'un air savant :

— D'après le *Guide*, les salamandres magiques – donc celles capables de s'enflammer – sont des sortes de bébés dragons. Mais il existe des salamandres aussi inoffensives que des lézards. Apparemment, ce géant ne sait pas faire la différence entre les deux.

— Oui, eh bien partons avant que ce monstre ne découvre une salamandre magique, l'enjoignit Nicolas.

Mais Laurie lui posa une main sur le bras.

— Regarde ! Il s'en va !

Le géant regagnait la forêt en poussant des grognements déçus. Nicolas laissa échapper un soupir interminable. Laurie, les jambes flageolantes, s'assit par terre.

Au loin, Nicolas entendit la naïade chanter son étrange mélodie.

Le géant se retourna, pencha la tête de côté, émit un «*groumpf!*» étonné et repartit en écrasant les arbres. Nicolas réprima un hurlement.

Le mastodonte se dirigeait vers le lotissement.

Le chant paraissait l'hypnotiser.

Chapitre sixième

Où Laurie admet s'être trompée

Nicolas et Laurie coururent vers le lotissement sans échanger un mot. Qu'allaient-ils
découvrir? Des villas éventrées? Des réverbères
pliés comme des trombones? Non. Le géant était
assis au bord du lac, sur la berge opposée. Il
contemplait Taloa avec des yeux remplis d'admi-
ration. Le chant de la naïade paraissait l'hypnotiser. Ses gros doigts creusaient des sillons dans le
sable.

Laurie ne put s'empêcher de commenter:

— Il est super calme, quand on ne lui marche
pas dessus...

L'adolescente avait piètre allure, avec sa
tignasse échevelée et sa jupe en lambeaux.

— Je croyais grimper sur une colline! expliqua Nicolas. Et...

Taloa rejoignit la rive. Le géant la suivit des yeux. La naïade retroussa les babines et chantonna sur un ton menaçant:

— *Tu as conduit l'ennemi ici, tra-la-li?*

— Non! se défendit l'adolescent. C'est ton chant qui l'a attiré!

Taloa se hissa sur le rivage, ses cheveux plaqués contre son cou. Nicolas put sentir l'odeur de la vase sur sa peau.

— *Où sont mes sœurs, la-li-lère?*

Nicolas décela un mouvement sur la rive opposée. Oh, oh. Le géant avait repéré les adolescents. Il tourna la tête vers eux en émettant un son rauque. Puis il se leva, et la terre vibra.

— Chante, Taloa ! supplia Laurie. Le géant semble adorer ça !

Taloa chanta, mais, cette fois, les paroles de la naïade eurent pour effet d'exciter le géant. Nicolas voyait ses narines palpiter.

— *Vint le jour où nous nous enrouâmes*, raconta la naïade. *Le chant nous déserta, tra-la-la, corps et âme. Dès lors, notre ennemi, tra-la-li, se mit à tout brûler.*

— Je t'en prie, chante ! articula l'adolescent.

Mais Taloa insista :

— *Où sont mes sœurs, Nicolas-la-la ?*

Pas le temps de prendre des gants. Le géant approchait.

— Elles sont mortes carbonisées avec la forêt ! s'exclama le garçon.

Taloa recula. Elle s'accroupit comme si on l'avait giflée. Elle écarta les doigts et regarda les enfants à travers ses palmures translucides. Un grondement sourd s'échappa de sa gorge.

— Nous n'avons trouvé que trois corps, s'empressa d'ajouter Laurie. Peut-être que les autres sont en vie !

Le géant posa un pied dans l'étang. Son ombre plana au-dessus des deux adolescents.

— Je t'ai sauvé la vie, Taloa ! argumenta Nicolas. J'ai cherché tes sœurs ! Alors chante ! Sinon…

Des vagues clapotèrent à ses pieds.

— *L'honneur est une de mes vertus,* fredonna Taloa. *Retrouvez donc mes autres sœurs, ou je ne chante plus…*

— Promis-juré-craché ! haleta Nicolas.

À nouveau s'éleva la mélodie envoûtante, chantée d'une voix de gorge pleine de chaleur. Le géant se rassit (dans l'eau), cligna des paupières tout en remuant ses gros doigts dans la vase.

Ouf !

— *Hâtez-vous, hâtez-vous !* psalmodia Taloa. *Ma voix me fait défaut, tra-li-lo !*

— Tiens bon ! l'encouragea Nicolas.

Les yeux humides de la naïade lui renvoyèrent son reflet : celui d'un garçon hagard et inquiet.

Laurie eut soudain une idée. De retour dans sa chambre, elle alluma l'ordinateur. Elle trouva ce

qu'elle cherchait en
quelques clics :

— Il y a une
séance de dédicaces cet
après-midi, à la librairie
Croq'Livres d'Orlando[1],
expliqua-t-elle. Les auteurs
du *Grand Guide* seront là.
Nous pourrons leur demander
conseil.

Nicolas dévisagea sa demi-sœur.

— Et si Taloa a une extinction de voix ? se
récria-t-il. Que va faire le géant, à ton avis ?

Laurie feignit de ne pas avoir entendu :

— Ton père pourra nous conduire en ville ?

— Sûrement pas, après le coup du sable dans
la voiture. Pourquoi pas ta mère ?

— Je lui ai demandé des centaines de fois de
m'y emmener et elle me répond toujours : « On
verra. » Et comme j'ai cassé mes lunettes... elle ne
risque pas d'accepter.

1. Floride, États-Unis.

— Passe-les-moi, ordonna le garçon. Je vais arranger ça.

La jeune fille accompagna son demi-frère dans la chambre de Julien. Nicolas fit tomber une goutte de colle extra-forte sur la monture et coinça les lunettes dans un petit étau.

— Ça devrait tenir, assura-t-il à Laurie.

Celle-ci ne paraissait pas ravie. Était-ce parce que Nicolas maîtrisait l'art de la réparation de lunettes, et pas elle ?

— Pourquoi tu ne dis pas la vérité à ta mère ? demanda-t-il. Puisqu'elle te croit toujours.

— Bof ! souffla la jeune fille. Même avec le trèfle, je... Le trèfle ! Je l'ai perdu ! (Elle plaqua les

84

mains sur sa poitrine.) Catastrophe ! J'ai perdu mon médaillon !

Laurie avait l'air décomposée.

— Et je n'ai pas d'autre photo de mon père !

« Et après ? » songea Nicolas. Le père de Laurie n'était pas mort, lui. Elle pourrait lui en demander une autre.

— Tu avais raison, avoua la jeune fille. Ma mère pense que je suis dotée d'une imagination débordante... J'espérais que le *Guide* me mènerait au repaire d'un lutin, ou d'une fée comme on en voit dans les dessins animés de Disney... La vérité, c'est qu'au début je ne croyais pas aux créatures féeriques.

— Tu semblais pourtant persuadée du contraire, avança Nicolas.

— Comme j'étais persuadée qu'avoir un frère du même âge, ce serait génial, renchérit Laurie. Mais les fées ne sont que des monstres, je les déteste, et toi aussi, je te *déteste*. Je vous déteste tous.

Elle se jeta sur son lit et enfouit la tête dans ses bras.

Nicolas se balançait d'un pied sur l'autre. Et puis zut ! Il n'avait jamais demandé de sœur, lui ! Il avait déjà un frère pour lui casser les pieds !

Une lueur s'alluma dans les yeux du garçon.

Mais oui... Il avait un frère...

Un grand frère majeur, avec une voiture.

Dans le salon, Julien massacrait des zombies sur sa console de jeux, le cellulaire collé à l'oreille.

Nicolas lui tapota l'épaule. Son frère tourna la tête d'un quart de tour et désigna la porte du pouce.

— ... ouais, je peux même surfer sur des vagues de plusieurs mètres de haut !

Nicolas attira son attention par un geste.

— Une seconde, marmonna Julien dans le cellulaire avant de fusiller son frère des yeux. Qu'est-ce que tu veux, le gnome ?

— Tu pourrais nous conduire à Orlando pour une séance de dédicaces ? demanda Nicolas.

Julien se gratta la joue avec le téléphone, avisa l'écran et grommela :

— Négatif. Dégage, tu viens de me faire perdre ma partie.

Julien massacrait des zombies sur sa console de jeux.

Sur l'écran, un zombie en tenue de pompier dévorait la cervelle du héros.

Nicolas n'avait pas le temps d'expliquer la situation. Il opta pour une solution qui avait déjà fait ses preuves :

— Tu te souviens, l'autre jour, quand tu soulevais des haltères en slip devant le miroir ? Je t'ai filmé. Et j'ai gardé la bande…

Julien raccrocha en bondissant sur son frère.

— Espèce de sale petit mouchard ! cracha-t-il.

Nicolas recula, les mains levées.

— Si tu nous emmènes à Orlando, je te promets d'effacer tes exploits.

Julien serra le poing :

— Donne-moi cette bande, ou bien…

Laurie vola au secours de Nicolas. Elle prit un air de chien battu et posa une main sur le biceps de Julien.

— S'il te plaît ! Ce sont mes auteurs préférés ! C'est ma dernière chance de les voir en vrai ! Nicolas adooore leurs romans, lui aussi…

Mensonge n° 1.

— Demande à ta mère, ou à papa? contre-attaqua Julien.

— Ils devaient nous emmener, mais ils ont annulé au dernier moment. Ils ont trop de boulot, précisa Laurie.

Mensonge n° 2. Si ça continuait, le nez de Laurie allait s'allonger.

Julien se radoucit:

— Pourquoi tu ne l'as pas dit plus tôt? C'est bon, je vous embarque. Je rappelle Cindy pour lui proposer de venir.

Nicolas dévisagea sa demi-sœur, stupéfait. Il ignorait si elle avait un don, mais une chose était sûre: Laurie menait les gens par le bout du nez.

Julien les déposa devant la librairie.

Chapitre septième

Où la limite entre fiction et réalité manque d'être franchie

Quand Laurie et Nicolas s'engouffrèrent dans la voiture bouillante comme une étuve, le géant posa sur eux son regard noir. Accroupi sur la rive, il creusait la terre avec ses mains aussi grosses que des pelles mécaniques.

— J'ai imprimé le plan, annonça Laurie. On devrait arriver dans une heure et quart. S'il n'y a pas de bouchons.

Julien s'empara des indications et démarra.

Ils s'arrêtèrent prendre Cindy. La petite amie de Julien, qui s'était fait des tresses africaines ornées de coquillages, grimpa à côté de Julien.

— Ça va, les jeunes ? s'exclama-t-elle.

CINDY

Nicolas avait envie de répondre : « Un géant squatte notre pelouse. Il va tous nous écraser. À part ça, tout baigne. »

Cindy lui adressa un sourire éclatant. Le garçon se détendit un peu. Les deux aînés passèrent le trajet à énumérer les plages et les boutiques de surf près de la librairie Croq'Livres. Le front collé à la vitre, Nicolas dénombra huit animaux écrasés sur le bord de la route. Soudain, il aperçut une créature qui ressemblait à un couguar à la queue hérissée de piques.

Il siffla entre ses dents. Cindy le regarda. À ce moment, il eut presque envie de tout lui raconter, mais elle se tourna vers Julien, qui se remit à parler. Nicolas comprit qu'il était trop tard pour se confier.

Julien les déposa devant la librairie avec vingt minutes de retard. Une nuée de fans grouillait dans le magasin. Laurie s'empressa d'entrer. Julien tendit son cellulaire à Nicolas :

— Quand vous aurez fini, appelle Cindy ! lança-t-il avant de redémarrer.

— Et n'oublie pas. N'adresse pas la parole aux étrangers, lui cria Cindy malicieusement.

Nicolas poussa la porte de la librairie. À l'intérieur, la climatisation réglée au maximum le glaça. Une odeur de café emplissait la pièce. Le garçon rejoignit Laurie dans la foule et remarqua une femme rondelette vêtue de noir. À côté d'elle, un homme en chemise bariolée et aux cheveux en bataille dessinait un dragon sur un chevalet.

— Ce sont eux, les auteurs du *Guide* ? s'enquit Nicolas.

Laurie acquiesça. Elle resserra les doigts sur les cinq tomes des *Chroniques de Spiderwick*.

Le dessinateur proposa d'offrir son illustration à celui qui répondrait correctement à la question : « Quelle créature kidnappe les chats ? » La femme en noir interrogea une fille au premier rang.

Après le quiz, l'auteur demanda :
— Y a-t-il des questions ?

Nicolas leva le doigt en se trémoussant.

— Je t'écoute.

Avec ses yeux soulignés de noir, elle ressemblait à un personnage de dessin animé.

— J'aimerais me débarrasser d'un géant, articula le garçon.

Quelques ricanements se firent entendre dans l'assistance. Rouge comme une tomate, Nicolas ne se démonta pas :

— Je suis sérieux ! Il y a un géant cracheur de feu près de chez moi. Il a brûlé trois naïades et a asséché leur étang. Une autre a pu s'échapper. Grâce à son chant, elle a réussi à l'envoûter, mais j'ignore pour combien de temps. Qu'est-ce que je peux faire ?

La femme en noir interrogea son collègue du regard. L'homme haussa les sourcils, et fit comme s'il ne se sentait pas concerné par la question.

— Eh bien... Les vête-ments rouges sont une excellente protection... et aussi... heu... les objets en fer...

— Mais comment m'en débarras-ser ? insista Nicolas.

La femme se rem-brunit.

— Tu devrais con-sulter les contes de fées, conseilla-t-elle. *Jack et le haricot magique. Le Vaillant Petit Tailleur. Le Petit Poucet.* Tu verras : les héros de ces histoires ont tous vaincu des géants.

LE CHANT DE LA NAÏADE

Elle ponctua sa phrase d'un grand sourire.

Nicolas fit la moue. Ce n'était pas une réponse, ça !

— D'autres questions ? s'enquit le dessinateur.

Laurie et Nicolas n'en revenaient pas. Les auteurs du *Guide* ne les avaient pas crus ! Le garçon entraîna sa demi-sœur dans le fond de la pièce et s'effondra dans un fauteuil.

— Tu parles d'un conseil ! C'est quoi, ces auteurs à la gomme ? s'énerva-t-il.

Laurie tenait le *Guide* contre sa poitrine. Elle était à deux doigts de pleurer.

Nicolas activa le cellulaire de son frère.

— Assez perdu de temps, décida-t-il.

Mais, quand il leva les yeux vers Laurie, il suspendit son geste. L'adolescente fixait un garçon aux cheveux noirs, d'à peu près leur âge. L'inconnu s'adressait à une rouquine, qui tenait un stand recouvert d'objets ayant – soi-disant – appartenu à Arthur Spiderwick.

— Tu le connais ? voulut savoir Nicolas.

— Sa tête me dit quelque chose… murmura Laurie.

Le garçon disparut entre deux rayons. La jeune fille le suivit. Nicolas remit le téléphone dans sa poche, leur emboîta le pas... et s'arrêta net.

Le garçon se tenait devant sa copie conforme. Sauf qu'il n'y avait pas de miroir. C'étaient des jumeaux.

— Jared et Simon Grace, chuchota Laurie. Ils ressemblent trait pour trait aux dessins des romans !

— Mais de quoi tu parles ? grogna Nicolas.

Laurie expliqua :

— *Les chroniques de Spiderwick* sont censées relater des faits réels. L'histoire de Jared, Simon et Mallory Grace.

La jeune fille se dirigea vers les jumeaux. Nicolas la suivit. Culottée, elle fonça :

— Tu t'appelles bien Jared ?

Les jumeaux se mirent à rire. L'un d'entre eux attrapa une pile de *Grand Guide* et lança :

— À qui ai-je l'honneur ?

— Elle s'appelle Laurie, et moi, c'est Nicolas, répondit le garçon.

Il se tenait devant sa copie conforme.

Laurie enchaîna :

— Vous accompagnez les auteurs ?

— Notre père tourne le pilote d'une série télé, expliqua Jared. Il a tenu à ce qu'on passe l'été avec lui, mais les plages et les fêtes foraines, c'est pas notre truc. On préfère les séances de dédicaces.

— Arthur aurait apprécié, intervint Simon.

— Alors c'est vraiment vous ! conclut Laurie.

— Vous avez entendu ma question, tout à l'heure ? interrogea Nicolas.

Jared le regarda en reniflant.

— Ah oui ! Elle était bien bonne d'ailleurs.

— Ce n'était pas une plaisanterie, répliqua Laurie. Nous possédons la Vue. Et j'ai lu le *Grand Guide* une bonne douzaine de fois.

— Mais il ne lui a été d'aucune utilité, compléta Nicolas.

Les yeux de Laurie s'agrandirent. Quelle insolence de la part de Nicolas !

— Tu étais sérieux, à propos du géant ? questionna Simon.

— J'ai l'air de raconter des histoires ? rétorqua Nicolas.

— Les créatures féeriques n'aiment pas beaucoup êtres vues par les humains, l'avertit Jared. Elles t'arracheront les yeux, si l'envie leur prend.

Par réflexe, Nicolas se frotta les paupières.

— Vous allez nous aider ? demanda Laurie.

Jared lâcha :

— À condition que vous nous prouviez que vous ne mentez pas.

Laurie regarda Nicolas. Comment convaincre Jared que toute cette histoire était réelle ? Ce dernier affichait une suffisance exaspérante.

— Comment ? voulut savoir Nicolas.

Jared haussa les épaules :

— C'est pas mon problème.

Nicolas envisagea de citer des exemples mentionnés dans le *Guide*. Des farfadets qui se transforment en trolls de maison si l'on abuse de leur patience. Des petites souris en pierre qui témoignent de l'existence d'un basilic. Et puis non. Tout ce que cela prouvait, c'était qu'il avait lu le livre.

« C'est pas mon problème. »

Alors quoi ? Décrire ce qu'il avait vu ? Taloa ? Le géant ? Le truc aux yeux couleur de sable ? Le scarabée avec le visage humain sur le corps ?

— Je n'ai aucune preuve, avança-t-il. Tout ce que je sais, c'est que j'aimerais que ces choses n'existent pas.

— Hmm… J'ai l'impression qu'ils disent la vérité… murmura Simon.

Jared se frotta le menton :

— Admettons. Je ne suis pas très calé en matière de géants. Je vais appeler Mallory et lui demander de fouiller dans les notes d'oncle Arthur. Mais ça risque de prendre du temps.

— Rendez-vous ici demain matin, conclut Simon.

— On n'habite pas à côté, répliqua Laurie.

Jared lui prit le *Guide* des mains et inscrivit son numéro de téléphone à l'intérieur de la couverture.

— Alors appelez-nous. On vous dira ce qu'on a trouvé… si jamais on trouve.

Laurie serra l'album contre son cœur. Nicolas leva les yeux au ciel.

Devant la librairie, le garçon composa le numéro de Cindy. Il avait vraiment l'impression d'avoir perdu son temps.

Et du temps, il ne leur en restait plus beaucoup.

Le géant se frappait la poitrine.

Chapitre huitième

Où il est impératif de remédier au problème

— *La-la-laa ! Tri-la-loo ! La-la-laa ! Tri-la-loo !*

Nicolas entendit la mélopée de la naïade une bonne partie de la nuit. L'image du géant le hantait. Il revoyait sa peau incrustée de terre. Ses épaules recouvertes de mousse. Ses petits yeux d'onyx, qui devaient apercevoir les lumières briller dans la maison. Et si le mastodonte trouvait ces lumières jolies ? S'il avait envie de s'en faire un collier ?

Il fallait que Taloa continue de chanter. Coûte que coûte.

Nicolas réussit à dormir quelques heures. Lorsqu'il se réveilla en sursaut, tout était calme, à tel point que le jeune garçon se demanda ce qui l'avait réveillé. Soudain, il comprit ce qui n'allait pas : la naïade ne chantait plus ! Il réprima une nausée, se leva et regarda par la fenêtre. Dehors, il faisait encore noir. Il avait les mains moites. Il les essuya sur son pyjama. Puis il ouvrit la porte de la chambre et dévala les escaliers quatre à quatre. C'est alors qu'il entendit un craquement horrible. D'un coup, des flammes illuminèrent le jardin. Un arbre flambait près du lac. Le géant se frappait la poitrine comme King Kong. Ses vociférations ressemblaient à des grondements de tonnerre apocalyptiques. Nicolas courut dans l'herbe humide, glissa dans la boue et se heurta à Taloa. La naïade sortait de l'eau en rampant.

Hébétée, elle contempla le désastre.

— *Je... je me suis assoupie, tra-la-li...* Sa voix se brisa.

— Chante ! Mais chante ! beugla Nicolas.

Le géant baissa les yeux vers lui et prit une longue inspiration.

Taloa ouvrit la bouche et coassa :

— *Tra-la-reuh… Tra-la-reuh…*

— Nooon ! hurla le garçon.

La naïade se racla la gorge et parvint à fredonner quelques notes apaisantes. Aussitôt, le géant s'assit sous un chêne touffu et se remit à couver Taloa du regard.

Nicolas étouffa un juron. Où ce monstre avait-il déniché une salamandre ? Pourvu qu'il n'ait pas trouvé un nid !

— *Mes sœurs… n'oublie pas… Nicolas-la-la…* chantonna Taloa entre deux mesures.

— Je n'oublie pas, souffla l'adolescent.

La naïade reprit courage. Son chant redevint assuré. Nicolas tomba à genoux, épuisé.

Le soleil se levait.

Le père de Nicolas était furibond. Il désignait l'étang par la fenêtre, une tasse à la main.

— Quel est l'idiot qui a déposé ce tas de terre sur la berge ?

Il pensait que la foudre avait carbonisé l'arbre, et que le monticule à côté du plan d'eau était l'œuvre d'un maçon.

De gros nuages s'amoncelaient. Il allait pleuvoir.

— Moi, je trouve ça sympa, pépia Laurie. Ça nous fera un talus à escalader.

— Ça gâche affreusement le paysage ! rétorqua sa mère.

— Ne vous en approchez surtout pas ! recommanda l'adolescente d'une voix aiguë.

— Demain, à la première heure, je fais enlever cet amas de boue, annonça le père de Nicolas.

Nicolas se mordit la langue. Il brûlait de tout raconter. Et aussi de dire à Charlène qu'elle buvait tous les matins dans la tasse préférée de sa mère. Et de supplier son père de l'écouter, pour une fois.

Charlène posa la tasse dans l'évier, prit son sac à main et s'exclama :

— À ce soir, les enfants !

— Et soyez sages, ajouta le père de Nicolas avant de refermer la porte.

Laurie se rua sur le téléphone. Nicolas enclencha le haut-parleur. La voix de Jared résonna dans le salon :

— Vous avez de la chance : Mallory a découvert qu'oncle Arthur correspondait avec un spécialiste des géants. Il ne vit pas très loin de chez vous. Vous avez de quoi noter ?

— De quand datent les lettres de ton oncle ? maugréa Nicolas.

— D'un sacré bout de temps, avoua Jared.

— C'est notre seule piste, de toute manière, concéda Nicolas. Je t'écoute.

— 11, chemin du Marais. J'ai regardé la carte ; c'est à environ trois kilomètres de La Mangrove. Je saute dans un taxi et je vous rejoins là-bas.

Le visage de Laurie s'éclaira :

— Tu viens nous aider ?

— Oui. Je voudrais récupérer des croquis et des lettres de mon oncle. Simon restera ici au cas où papa appellerait.

— Et si ton père demande à te parler ? s'inquiéta Nicolas.

— Simon possède un redoutable talent d'imitateur, répondit Jared. À plus !

— À plus !

Laurie raccrocha avec tant de hâte que le téléphone tomba par terre.

— Dommage que le vélo ne soit plus en état, regretta Nicolas.

Dans les arbres, les cigales chantaient. Sa chemise était trempée de sueur. À chacun de ses pas, son sac à dos lui meurtrissait les reins. Pourquoi s'était-il encombré de tout ce fatras ?

Laurie avait dessiné le trajet. Il fallait suivre l'allée de Tenniel jusqu'au sentier de terre qui menait au chemin du marais. Facile, en théorie. Les enfants passèrent devant une vieille maison

aux volets fermés. Un chien aboya en s'appuyant sur la clôture. Laurie sursauta. Une voiture rouillée aux pneus dégonflés était garée dans l'allée. Le tonnerre gronda. Pas très loin.

Malgré la chaleur, Nicolas frissonna.

— J'espère que Taloa ne va pas devenir aphone, murmura-t-il. Sinon, on aura fait tout ça pour rien.

— On approche, annonça Laurie.

Un panneau indiquait :

CHEMIN DU MARAIS

Le sentier coupait le marais en deux. Quelques habitations isolées se dressaient dans la végétation touffue. Devant la quatrième maison, une boîte aux lettres cabossée affichait le numéro 11. L'endroit semblait abandonné depuis longtemps.

Les adolescents traversèrent la pelouse mangée par le sable. Le toit s'était écroulé au milieu de la maison. Les volets ne tenaient plus sur leurs gonds. Le porche, encombré de seaux, de râteaux abîmés et de vieilles bâches, paraissait sur le point de s'effondrer.

Laurie grimpa les marches et poussa la porte de métal rouillé.

Nicolas lui empoigna le bras.

— Tu es folle ? glapit-il. Cette baraque est sûrement hantée !

La jeune fille ignora cette remarque.

— Il y a quelqu'un ? appela-t-elle en cognant contre les murs vermoulus.

L'endroit semblait abandonné depuis longtemps.

Soudain, une lueur apparut dans les buissons.

— Jared ? risqua Nicolas.

La lueur se déplaça de quelques mètres.

— Ohé ! cria Laurie en se dirigeant vers la lumière.

Il commençait à pleuvoir. Laurie enfila son blouson et mit son capuchon.

Tout à coup, la lueur fonça. Quelqu'un se cachait dans les fourrés avec une lampe de poche. Quelqu'un qui s'était mis à courir.

— Ne le laisse pas s'enfuir ! s'exclama Nicolas.

Et ils s'élancèrent dans le marais. Mais le fuyard était plus rapide. Nicolas dut s'arrêter après quelques mètres, à bout de souffle. Laurie courait loin devant. Avec la pluie, il ne distinguait plus rien.

Tout à coup, quelque chose fondit sur lui. Une espèce de méduse volante au cœur incandescent, avec deux yeux au bout d'une tige. Elle avait dans le dos deux paires d'ailes minuscules.

Une autre bestiole luminescente lui arracha un cri de frayeur.

114

— Laurie! s'époumona-t-il. Ce n'est pas Jared! Ce sont des créatures! Reviens!

Nicolas se retourna, et se retrouva dans un paysage inconnu. Il chercha ses empreintes de pas. La mousse humide les avait déjà absorbées. Partout, l'eau formait des mares dans la boue. Le cœur tambourinant, Nicolas porta la main à sa bouche.

Il s'était perdu.

Il faisait sombre. La pluie redoublait de violence.

— Laurie! Lauriiie! répétait Nicolas d'une voix teintée d'angoisse.

D'autres lueurs tourbillonnaient autour de lui. Elles zigzaguaient devant son visage à la vitesse de l'éclair. En quelques secondes, le marais fut rempli de méduses volantes. Nicolas tourna la tête. À gauche. À droite. Encore à gauche. Il tenta d'attraper une créature… et tomba dans la vase, la tête la première.

Il roula sur le dos. À travers le rideau de pluie, il observa les lueurs, qui dansaient telles des étoiles dans un kaléidoscope. Une vague de

« Ce sont des créatures ! »

bien-être le submergea. Il n'avait plus envie de rentrer chez lui.

— Nicolas ? Où es-tu ?

C'était Laurie. À sa voix, elle paraissait effrayée. Le garçon sortit de sa torpeur et répondit :

— Par ici !

La jeune fille s'effondra à ses côtés.

— Ce sont des lucioles, haleta-t-elle. Le *Guide* en parle, ce sont des feux follets qui cherchent à égarer les gens[1].

Nicolas grelottait. Laurie était écarlate. Des traces de boue lui zébraient la poitrine et les avant-bras. Elle avait perdu une sandale de plage.

— Je suis tombée, articula-t-elle en guise d'explication.

— Je crois que la maison est par là, affirma Nicolas en désignant un bouquet de fougères.

Laurie indiqua la direction opposée :

— Elle ne serait pas plutôt de ce côté ?

1. Voir le *Grand Guide du monde merveilleux qui vous entoure*, p. 114-115.

Au loin, les lucioles tournoyaient à vive allure. Les enfants avaient eu de la chance. S'ils s'étaient perdus la nuit, ils auraient pu errer pendant des heures dans la forêt de broussailles.

Nicolas marcha vers les fougères. Il avait l'air sûr de lui. Laurie ne semblait pas convaincue. Elle tremblait.

— Tu as déjà vu ce gros rocher? s'enquit-elle.

Nicolas n'en était pas certain. Cependant, il déclara:

— Affirmatif.

— Je ne m'en souviens pas, répliqua la jeune fille.

Nicolas en eut assez.

— C'est par là! Point final! s'égosilla-t-il.

Ils entendirent soudain une voix, derrière eux.

— ... olas!... rie!...

Laurie faillit pleurer de joie.

— Jared! s'exclama-t-elle.

Ils étaient sauvés.

Ils s'orientèrent au son de la voix de Jared. En fait, Laurie et Nicolas tournaient le dos à la

maison. Mais pour une fois, la reine des enquiquineuses ferma son clapet. Nicolas lui en fut
reconnaissant.

Jared se tenait sur le talus qui jouxtait la
maison. Vêtu d'un jean et d'un t-shirt, il portait
une sacoche en bandoulière. Il leur adressa un
signe de la main. Laurie et Nicolas escaladèrent
la butte.

Jared désigna la ruine du menton.

— Allons jeter un coup d'œil à l'intérieur,
suggéra-t-il. Mais dépêchons-nous. On ne sait
jamais.

Nicolas frémit. Qu'était-il arrivé au proprié-
taire de cette maison ? Peut-être avait-il suivi les
lucioles, lui aussi. Peut-être n'avait-il jamais
retrouvé son chemin…

Laurie entra la première. Elle posa son
pied nu sur un linoléum sale et fané. À droite,
il y avait une bouilloire et une casserole sur la
cuisinière. À gauche, le réfrigérateur bourdon-
nait.

« Cette bicoque est forcément habitée », songea
Nicolas.

Jared leur adressa un signe de la main.

Il suivit Laurie dans un couloir étroit. Un calendrier de 1971 était accroché au mur. Soudain, le garçon repéra un mouvement, sur sa droite. Il fit volte-face, le cœur battant.

Ce n'était que son reflet dans un miroir ! Nicolas vit l'image de Jared lui décocher un sourire moqueur.

— Venez voir ! susurra Laurie.

Nicolas se força à avancer. Cet endroit lui flanquait la trouille.

Le couloir menait à une salle de séjour miteuse. Une télé qui semblait remonter à la préhistoire et un vieux fauteuil déplumé meublaient la pièce. Laurie montra du doigt une porte entrouverte.

Nicolas traversa la salle et risqua un œil par l'embrasure de la porte. Il découvrit une pièce minuscule avec un petit bureau métallique inondé de documents, de notes et de dessins qui tous représentaient des géants. Il y en avait des dizaines. Des géants avec une corde autour du cou. Un géant décapité. Nicolas s'approcha et lut quelques gros titres de journaux affichés au mur. Tous évoquaient le même sujet : le feu.

LA FLORIDE RAVAGÉE PAR LES FLAMMES, annonçait l'un. *UN NUAGE DE FUMÉE AU-DESSUS DE L'ATLANTIQUE*, proclamait un autre. *GLISSEMENT DE TERRAIN ET INCENDIE INEXPLIQUÉS*, révélait un troisième.

Nicolas saisit un dessin : un géant entravé par une corde reliant sa cheville à son cou. Des annotations fléchées complétaient le schéma. Un peu comme une notice de montage pour modèle réduit.

— Astucieux… murmura-t-il. Ainsi, le monstre ne peut plus se lever…

Une idée commençait de germer dans l'esprit de Nicolas : « Et si on essayait d'attacher le géant ?

L'un de nous grimperait dans un arbre et l'attraperait au lasso ! Les autres lui passeraient la corde autour de la cheville… »

Jared et Laurie pénétrèrent à leur tour dans la pièce.

— Waouh ! s'exclama Jared.

Laurie souffla :

— On dirait l'antre d'un fou… d'un obsédé des géants !

Jared fouillait parmi les papiers. Il brandit quatre dessins et s'écria :

— Mais c'est oncle Arthur qui a dessiné ces croquis ! Il en envoyait des tas à son ami pour prouver l'existence des créatures fantastiques. Il faut que je les montre à Simon ! ajouta-t-il en roulant les feuilles jaunies.

— Tu ne vas tout de même pas piquer ces dessins ? s'indigna Nicolas.

— Tu voles bien celui-là ! riposta Jared en désignant le schéma que Nicolas tenait à la main.

— Ce n'est pas pareil : nous, on en a vraiment besoin. Si on veut attraper le géant, on doit suivre les instructions *à la lettre*.

— De toute façon, ces croquis datent d'il y a plus de quatre-vingts ans. Ce type doit être mort depuis longtemps, conclut Jared.

— Ça m'étonnerait, intervint Laurie à mi-voix. (Elle caressa une coupure de journal du bout des doigts.) Cet article a été publié l'année dernière. Et l'électricité fonctionne encore.

Jared haussa les épaules et décréta :

— Puisque tout le monde a trouvé son bonheur, fichons le camp.

Laurie n'en croyait pas ses oreilles :

— Tu ne vas pas nous laisser tomber ?

— Parce que vous avez besoin de l'aide d'un voleur, maintenant ? grinça Jared.

— C'est *toi*, le spécialiste en créatures féeriques, souligna Nicolas.

Il plissa les yeux et posa l'index sur la poitrine de Jared.

— Tu sais ce que je crois ? Avec ton histoire, tu nous mènes en bateau !

— Fais attention à ce que tu dis, gros lard ! contre-attaqua Jared.

— Tu as tout inventé pour te vanter !

Jared empoigna Nicolas par le col de sa chemise. Ce dernier ferma les yeux et leva les mains. Il allait prendre une bonne raclée.

— Arrêtez ! cria Laurie. Vous êtes dingues, ou quoi ?

Nicolas rouvrit les yeux. Jared soufflait par les narines. Il n'avait pas desserré le poing.

« Fais attention à ce que tu dis ! »

Soudain, Laurie éclata de rire.

— Dans cette posture, tu ressembles ex-ac-te-ment aux dessins des romans ! Tu es bien le Jared Grace des romans, aucun doute là-dessus !

— Jared Fennelly, précisa le garçon. Maman a demandé aux auteurs de modifier mon nom[1].

1. Requête qui n'a pas été exaucée.

Il fixait sur Taloa des yeux énormes.

Chapitre neuvième

Où tout ne se déroule pas exactement comme prévu...

Nicolas, Jared et Laurie regagnèrent le lotissement au pas de course. Leur arme: un vieux rouleau de papier coincé dans le sac à dos de Nicolas.

Le géant n'avait pas quitté le bord de l'étang. Assis dans la vase, il fixait sur Taloa des yeux énormes. La pluie dégoulinait le long de son dos en forme de rocher. La naïade chantait plus lentement. Moins fort. D'une voix plus rauque. Quand les trois enfants s'approchèrent, elle leur jeta un regard empli de désespoir. Elle était à bout de forces.

— Courage ! On arrive ! souffla Laurie.

Jared contempla un instant la créature aquatique sans dire un mot.

Pour vaincre le géant, ils avaient besoin de :

a) un rouleau de câble (une corde risquait de casser) ;

b) un grand chêne pour se mettre à la hauteur du monstre ;

c) un engin capable de l'entraîner très loin des habitations.

Ils trouvèrent sur le chantier des petits morceaux de câble, qu'ils nouèrent bout à bout. La pluie abondante rendait le cordage glissant. Nicolas coula un regard vers la maison. Il ne vit pas la voiture de son père mais cela ne voulait pas dire qu'il n'était pas dans les parages. Pourvu que Charlène, Julien et lui restent bien à l'abri.

— Qui s'occupe d'attacher la tête du géant ? interrogea Jared.

Nicolas se rappela soudain que lorsqu'il était petit, il était très fort au jeu du fer à cheval. Attraper un géant au lasso, cela ne devait pas être très différent. Encore fallait-il qu'il soit capable de grimper dans ce chêne ? Il n'avait pas vraiment le temps de se poser la question.

— Moi, répondit-il.

— Qu'allons-nous faire du géant lorsque nous l'aurons ligoté ? voulut savoir Laurie. Comment allons-nous le tracter ?

Jared indiqua les élévateurs stationnés près des maisons à moitié achevées.

— Avec ça, proposa-t-il.

— Tu veux voler un de ces engins ? railla Nicolas.

— Tu as une meilleure idée ? rétorqua Jared du tac au tac.

— Du calme. On verra plus tard, trancha Laurie en lançant un regard inquiet à Taloa. Le temps presse.

Nicolas prit une profonde inspiration, posa le pied sur une branche basse et commença son ascension. L'écorce lui meurtrissait les mains. Il regrettait déjà de s'être porté volontaire. Cela faisait des années qu'il n'était pas monté dans un arbre… mais il fallait vaincre le géant coûte que coûte. À cette idée, le garçon reprit courage. Il grogna, mais parvint à escalader les branches.

Il regarda en bas. Le vertige s'empara de lui. S'il glissait, ce serait la fin. Et il eut très froid, tout à coup.

Encore un mètre. Le garçon sentait maintenant le souffle du géant – une haleine de terre fraîchement retournée. L'adolescent avait l'impression d'être une petite souris, une puce, un microbe, même. Tout à l'heure, il était tombé dans un piège tendu par des lucioles *minuscules*. Comment allait-il venir à bout d'un géant ? Il leva le pouce à l'intention de ses frères d'armes.

En bas, Jared et Laurie contournèrent le pied du géant, le câble à la main. Nicolas retint sa respiration. Si le mastodonte baissait les yeux, il écraserait ses deux amis comme on écrase une fourmi.

La voix de Taloa tremblait.

Jared et Laurie se regardèrent. À la une… À la deux… À la trois ! Ils lancèrent le câble autour de la cheville du géant. Ouiii !

« À moi ! » se dit Nicolas. Il avait les mains moites. Il leva son lasso, inspira, expira, repensa au fer à cheval. Ce n'était qu'un jeu, pas une épreuve sportive. Il pouvait le faire. Là. *Dououcement*. La boucle du cordage se positionna devant la tête du géant.

Soudain, le monstre braqua vers Nicolas des yeux brillants de rage. Le garçon poussa un petit

Il leva son lasso.

cri, ferma les yeux et lança le lasso à l'aveuglette. La créature se mit à rugir.

Taloa s'arrêta de chanter.

Nicolas rouvrit les yeux. Juste à temps pour voir le géant foncer sur lui, les poings levés. Une main s'abattit sur une branche, qui se brisa en mille morceaux dans un fracas assourdissant. Le câble se resserra autour du cou du géant. Le mastodonte s'écroula. Nicolas crut que le chêne allait se déraciner sous le choc.

— *Yahououou !* hurla Jared.

— *Aaah !* cria Laurie, à la fois terrorisée et soulagée.

Nicolas redescendit de l'arbre. Il manqua deux branches et atterrit sur les genoux.

Taloa n'avait pas perdu le nord :

— *N'oubliez pas, tra-la-la, votre promesse. Vous avez une dette envers moi-la-la…*

— Et nous la paierons, lui promit Laurie.

Jared n'en croyait toujours pas ses yeux :

— Trop fort ! On y est arrivés !

Par terre, le monstre tentait de se libérer à grand renfort de coups de pieds et de contorsions. En vain.

À chacun de ses mouvements, les nœuds se resser-
raient. Soudain, Nicolas comprit que le schéma était
bien plus ingénieux qu'il ne l'avait imaginé.

Il avait été conçu pour que le géant s'étrangle.

— Arrête de bouger ! s'affola le garçon.

Peine perdue. Le géant ne
comprenait pas. Il laissa
retomber un pied dans
l'eau, soulevant une
gerbe monumentale,
martela le sol de la
tête. Enfin, il cessa
de remuer. Sa bouche
s'ouvrit, et une énorme
langue en sortit.

Les trois adolescents fixaient la créature, hor-
rifiés. Plus personne ne poussait de cris de joie.

Le géant était mort.

— Hé ! Hé ! Hé !

Nicolas se retourna d'un bloc. Un homme à la
peau noire fripée et tannée par le soleil se tenait de
l'autre côté de la route. Il brandissait une machette

135

impressionnante, dont le tranchant émoussé scintillait malgré la pénombre. L'homme cligna des yeux et se dirigea vers eux. Il grimaça un sourire.

— Beau boulot, les gosses. Vous allez l'achever, n'est-ce pas ?

Le « l' » devait désigner le géant. Ce qui signifiait que cet inconnu possédait la Vue.

— Je vous ai suivis depuis chez moi, expliqua l'homme. J'avais envie de savoir pourquoi vous m'aviez volé mes plans.

— On croyait… On ne savait pas que le géant allait… mourir… bégaya Nicolas.

— Il n'est pas mort, affirma l'étranger. Du moins, pas encore.

Il s'approcha du géant et, sans hésiter, lui plongea sa machette dans l'œil. Le corps de la créature eut un dernier soubresaut et redevint immobile. Laurie étouffa un sanglot.

— Maintenant, c'est chose faite, déclara le vieil homme.

— Qui… Qui êtes-vous ? demanda Jared d'une voix tremblante.

L'homme lissa ses cheveux blancs.

— On m'appelle Jacquot le Miro – car je raterais une vache dans un couloir. Je suis chasseur de géants, comme mon père avant moi. Vous m'avez l'air très doués, les jeunes.

Jared déglutit et souffla :

— Mon arrière-grand-oncle – Arthur Spiderwick – devait correspondre avec votre père.

— Un brave type, cet Arthur, commenta Jacquot. Un bel exemple à suivre. Je vous félicite.

À ces mots, Jared se montra embarrassé, mais, au fond de lui, il était ravi.

— Vous êtes chasseur de géants ? s'étonna Laurie. C'est votre métier ?

L'homme se frappa la paume de la main du plat de sa machette.

— Oui, ma jolie. Un bon coup dans l'oreille ou dans l'œil, et le tour est joué ! s'exclama-t-il. La dynamite dans la bouche, ça marche aussi...

— Vous êtes vraiment obligé de les tuer ? murmura Laurie en contemplant le géant.

— Où iraient-ils, si on les relâchait ? se justifia le chasseur de géants. Ils retourneraient dans la forêt et détruiraient tout sur leur passage. Ça fait des années que je chasse les géants. En général, ils sont endormis. Le tout, c'est de les zigouiller avant qu'ils ne se réveillent et nous crachent du feu à la figure.

— C'est abominable ! protesta Laurie.

— Peut-être. Mais les géants se réveillent une fois tous les cinq cents ans. C'est une chance que vous soyez nés à la bonne époque, les gosses. La relève est assurée.

Nicolas ne comprenait pas.

— Ce qui veut dire ?

— Les géants sont en train de se réveiller, annonça Jacquot le Miro. *Tous* les géants. Moi, je ne suis qu'un vieux bigleux. Je vais avoir besoin d'un sérieux coup de main.

Il posa une main ridée sur l'épaule de Nicolas et proclama d'un ton solennel :

— Sinon, les géants mettront la Floride à feu et à sang.

Nicolas détailla le visage de Jacquot. Il regarda Laurie, Jared, puis les constructions inachevées – l'œuvre de son père. Il contempla les rives boueuses de l'étang, où se reposait la naïade. Il songea aux géants pyromanes, camouflés dans les collines, qui allaient bientôt cesser d'hiberner.

Peu importait qu'il travaille bien à l'école. Peu importait qu'il déteste le changement. C'était écrit : plus rien ne serait jamais comme avant. Nicolas devait se faire une raison.

Il allait falloir qu'il change, lui aussi.

Fin du
Livre Premier

À propos de TONY DITERLIZZI...

Né en 1969, Tony grandit en Floride et étudie le dessin et les arts graphiques à l'université. Il ne tarde pas à se faire remarquer comme dessinateur, grâce à *Donjons et Dragons* et au jeu de cartes à collectionner *Magic: L'Assemblée*. Il écrit aussi des séries pour lecteurs débutants, et illustre des auteurs-vedettes, dont un certain J.R.R. Tolkien. Retrouvez Tony et son chien Goblin sur www.diterlizzi.com.

... et de HOLLY BLACK

Née en 1971, Holly grandit dans un manoir délabré, où sa mère lui raconte des histoires de fantômes et de fées. Auteur de poésies et d'un « conte de fées moderne » très remarqué, *Tithe*, elle vit dans le Massachusetts, avec Theo, son mari, et une étonnante ménagerie. Pour en savoir plus, rendez-vous sur www.blackholly.com !

Remerciements

Nous voudrions remercier
Kevin (encore lui !), notre mentor,
Linda, notre cartographe en chef
(et mitonneuse de spaghettis),
Cassie, Cecil, Kelly et Steve, pour leur bon sens,
Barry, pour son soutien,
Ellen, Julie et nos amis de Gotham City,
Scotty et Johnny Lind, fiers défenseurs de l'art,
Will et Joey B., qui nous ont montré la voie,
Theo – bravo pour ta patience !
Angela, toujours fidèle au poste !
Sophia, qui vient grossir les rangs,
les plages de Floride et les nuits blanches dans le sable,
et tous nos talentueux éditeurs, sans qui
Les chroniques de Spiderwick n'auraient jamais vu le jour.